DISEÑO DE LA COLECCIÓN: SPR\MSH
© DEL TEXTO: Ricardo Gómez
© DE LAS ILUSTRACIONES: Paloma Corral
© DE ESTA EDICIÓN: Grupo Editorial Luis Vives, 2017

Edelvives Talleres Gráficos. Certificado ISO 9001
Impreso en Zaragoza, España

ISBN: 978-84-140-1051-8
Depósito legal: Z 867-2017

EL VUELO DE ÍCARO

TEXTO
RICARDO GÓMEZ

ILUSTRACIONES
PALOMA CORRAL

COLECCIÓN
MITOS CLÁSICOS

EDELVIVES

Minos, el rey de Creta, recibió la misma mañana tres noticias funestas:

—Es terrible, señor —dijo uno de sus consejeros—, Teseo ha matado a tu hijo, el Minotauro.

Poco después, otro de sus servidores entró en el salón del trono:

—Oh, gran rey, Teseo ha conseguido escapar del laberinto y ha huido en uno de los barcos anclados en el puerto.

Por si eso fuera poco, el capitán de la guardia llegó poco más tarde:

—Tu hija, Ariadna, ha huido con Teseo.

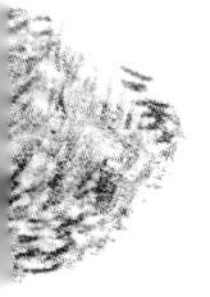

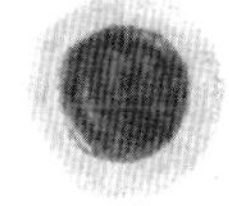

El rey Minos ordenó a su flota perseguir el barco de Teseo. Y, a continuación, lleno de cólera, hizo apresar a Dédalo y ordenó que lo condujeran ante él.

Dédalo era el escultor y el arquitecto de su reino. Hacía tiempo que le había encargado construir un laberinto en el que encerrar a su hijo, el Minotauro.

Dédalo entró cargado de cadenas y supo de la furia de su rey:

—¡Me aseguraste que nadie podría salir del laberinto! ¡Mi hijo ha sido asesinado y Teseo se ha escapado! ¡Serás castigado por ello!

Dédalo trató de justificarse:

—Señor, nadie habría podido salir de él a menos que utilizara alguna treta. Y dicen que tu hija Ariadna facilitó a Teseo un ovillo mágico con el que escapar.

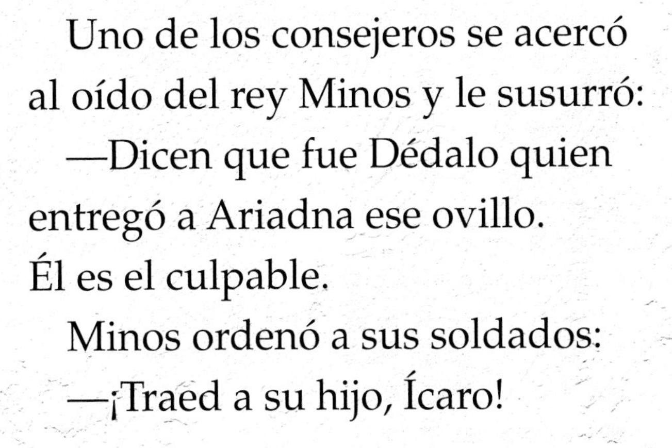

Uno de los consejeros se acercó al oído del rey Minos y le susurró:

—Dicen que fue Dédalo quien entregó a Ariadna ese ovillo. Él es el culpable.

Minos ordenó a sus soldados:

—¡Traed a su hijo, Ícaro!

El joven Ícaro fue apresado mientras estaba con su madre, una esclava llamada Náucrate. Apenada, vio cómo los soldados golpeaban y apresaban a su hijo. Tuvo la terrible sospecha de que nunca volvería a verle.

Cuando condujeron a Ícaro junto a Dédalo, el rey decretó:

—Me habéis traicionado. Comprobaréis que soy el señor de la tierra y de los mares. ¡Seréis encerrados en la torre del laberinto, de la que no podréis escapar!

Dédalo miró con angustia a su hijo. Ahora se arrepentía de haber pretendido enseñarle su oficio. Ese muchacho era un artista prometedor, pero ahora estaba condenado con él a un terrible castigo.

Para asegurarse de que no escaparían por tierra, Minos hizo tapiar la puerta de la torre. En su base, unos soldados montaban guardia día y noche.

Por si eso fuera poco, y temeroso del ingenio de Dédalo, el rey Minos ordenó que un barco de vigilancia estuviera permanentemente anclado en el puerto cercano. Si intentaban huir por el mar, serían descubiertos de inmediato.

Una vez al día, Dédalo y su hijo recibían agua y comida gracias a unas poleas y unas cuerdas que se retiraban al poco de utilizarse. De vez en cuando, recogían algunos vestidos nuevos, y velas de cera para alumbrarse.

Permanecían encerrados en una habitación en el piso más alto, solo iluminada por una estrecha ventana. Unos escalones de piedra ascendían a la terraza de la torre, desde donde se divisaba parte de la isla y el mar que la rodeaba. Era el paisaje que durante años había visto el Minotauro.

—Algún día huiremos de aquí —consolaba Dédalo a su hijo.

Sin poder siquiera pasear, los días transcurrían, lentos y aburridos. Ícaro admiraba a su padre y no dejaba de preguntarle por sus conocimientos como arquitecto, escultor e inventor. Dédalo le respondía, por ejemplo:

—Sí, inventé la sierra observando las espinas de un pez.

Ícaro, sin embargo, había escuchado una versión distinta. Y terrible. Decían que en realidad el inventor había sido un sobrino de su padre, a quien robó la idea y asesinó por celos. A causa de eso, Dédalo había sido desterrado a la isla de Creta, donde había entrado al servicio del rey Minos.

Pero prefería no preguntar por ello.

Cada día, Ícaro y su padre ascendían a la terraza. Allí, solían limpiar los excrementos y las plumas de los pájaros que la sobrevolaban o se posaban en ella.

A veces arrojaban las plumas desde lo alto y veían cómo caían lentamente hacia el suelo o cómo planeaban arrastradas por el viento.

Un día Dédalo dijo a su hijo, sosteniendo una pluma en sus manos:

—Puede que Minos sea el dueño de la tierra y del mar, pero no gobierna el aire… ¡Escaparemos volando!

I
II
III
IIII
Γ
ΓI
ΓII
ΓIII
ΓIIII
Δ
ΔI
ΔII
ΔIII
ΔIIII
ΔΓ
ΔΓI
ΔΓII
ΔΓIII
ΔΓIIII
ΔΔ
ΔΔI
ΔΔII
ΔΔIII

Día a día, Ícaro y su padre fueron guardando las plumas que las aves o el viento dejaban en la torre, y las iban ordenando por tamaños.

Mientras, se entretuvieron en deshilachar las ropas viejas, para después trenzar los hilos en cordones resistentes. Dédalo explicó a su hijo:

—Fabricaremos unas alas. Serán como las de las aves; las plumas exteriores, fuertes y resistentes, y las de dentro suaves y ligeras. Las ataremos con hilos y las uniremos con cera.

Fue un trabajo lento y laborioso.
Ícaro aprendió de su padre, a quien admiraba, y entre los dos fueron tejiendo dos alas, tan altas como ellos mismos. Lo hacían de día, reservando la cera para encerar y unir unas plumas con otras. Cuando acabaron el primer par de alas, Dédalo dijo a su hijo:

—Habrá que probarlas. Yo lo haré primero, volando alrededor de la torre.

Una noche, Dédalo se sujetó las alas al cuerpo y a los brazos con fuertes tiras de tela. A punto estuvo de precipitarse al vacío en su primer intento, pero poco a poco aprendió a batir los brazos y a planear.

Ícaro vio entusiasmado cómo su padre descendía despacio a la terraza. ¡Él también podría hacerlo! Un día sería como él. ¡Incluso mejor!

Padre e hijo siguieron fabricando el segundo par de alas. Mientras, Dédalo practicó sus vuelos y, por fin, permitió que Ícaro hiciera un ensayo. Le dijo mientras le ataba las alas a la espalda y a los brazos:

—Busca corrientes cálidas para hacer el menor esfuerzo. Gira despacio los brazos para cambiar de dirección y muévelos con fuerza para despegar y tomar tierra.

Dédalo vio con miedo, y luego con satisfacción, cómo su hijo volaba alrededor de la torre, para posarse al rato suavemente sobre ella.

A los soldados, aquellas pruebas nocturnas les pasaron inadvertidas. No imaginaban que Dédalo e Ícaro pudieran volar.

Semanas más tarde, acabaron el segundo par de alas. ¡Estaban listos para partir!

Al amanecer, antes de emprender el vuelo definitivo, Dédalo advirtió a su hijo:

—Buscaremos tierras gobernadas por Atenas, y el viaje será largo. No vueles tan bajo como para que el agua moje tus alas, ni tan alto como para que el sol derrita la cera. ¿Estás listo…?

Los dos se arrojaron desde las almenas y emprendieron el vuelo. Ni los soldados al pie de la torre ni los marinos en el barco alzaron la vista al cielo, pues no esperaban que sus prisioneros escaparan por el aire. Pronto, no fueron más que dos puntos en la lejanía.

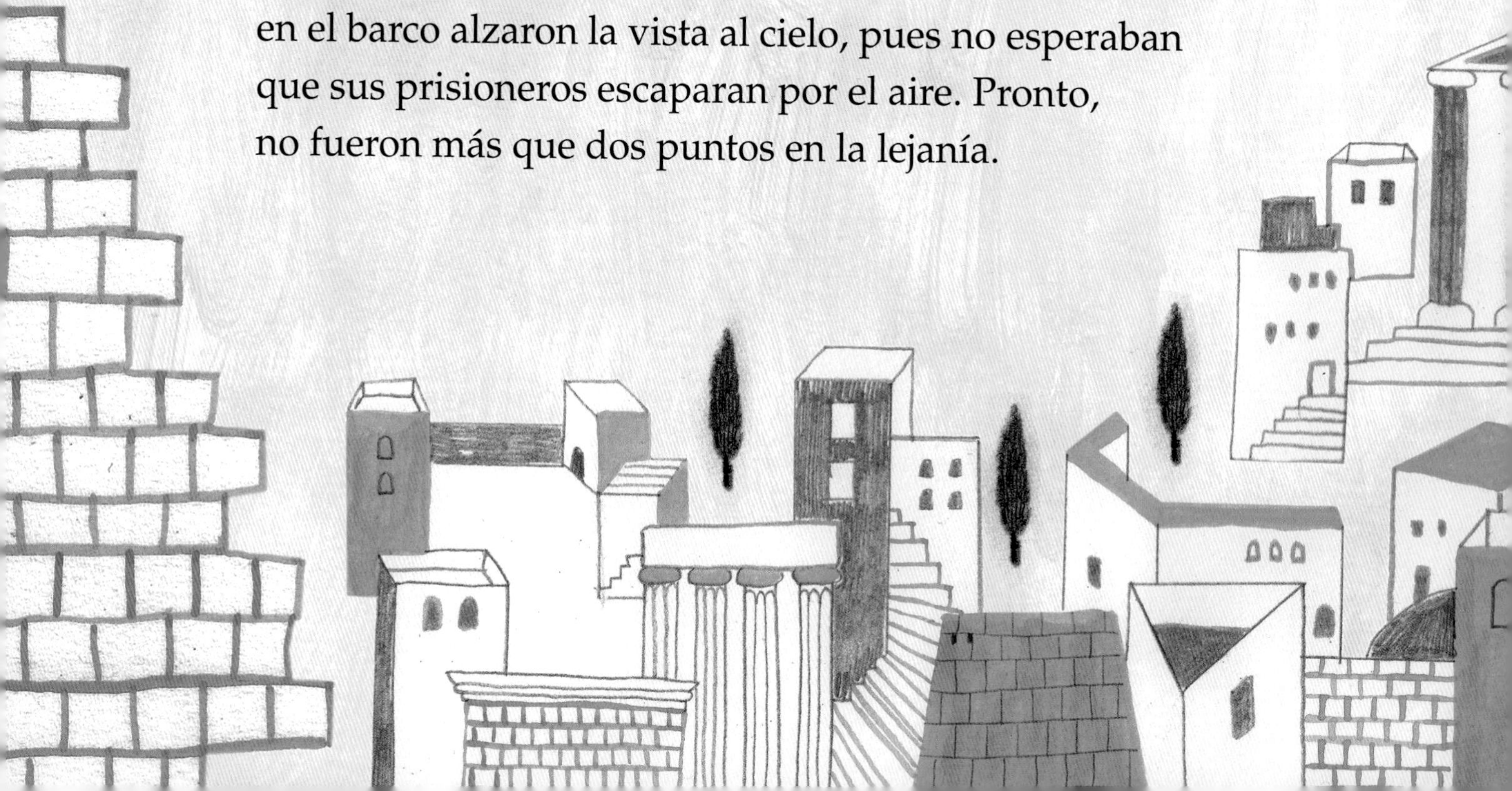

¡Eran los primeros humanos que conseguían volar!

Ícaro no perdía de vista a su padre. Los dos batían o giraban los brazos al unísono, volando en paralelo. Esas alas eran formidables. Les permitían ascender y descender, planear y variar el rumbo, tal como hacían las águilas y las gaviotas.

Tampoco Dédalo perdía de vista a su hijo, que gritaba eufórico viendo islotes y barcos en la distancia. A veces, le reprendía: «Ve más despacio…».

Como volaban a baja altura, algunos pescadores los vieron y los saludaron, creyendo que eran dioses.

Ícaro se sintió orgulloso por poder volar. Con lo que había aprendido de su padre, y con esas alas, sería como un dios. Demostraría al mundo que podía alcanzar el Olimpo, donde habitaban los dioses.

Tan entusiasmado estaba que movió con fuerza los brazos, y logró ascender y perderse en la distancia. Dédalo se preocupó al ver cómo se alejaba por encima de las nubes. Le buscó con temor y al rato vio con horror cómo su hijo se precipitaba veloz hacia el mar mientras gritaba su nombre y pedía ayuda, envuelto en una nube de plumas cuya cera el sol había derretido.

Dédalo descendió hacia la isla de Samos, cerca de donde su hijo había caído. Aunque sobrevoló el mar próximo y recorrió islotes y ensenadas, no encontró ni rastro de su cuerpo. Solo unas pocas plumas sobre las olas mostraban algunas huellas de la tragedia.

Dédalo dio el nombre de Icaria a los mares que rodeaban a esas islas. Consiguió llegar a Sicilia y ofreció a los dioses las alas que le habían permitido huir de la ira de Minos. Y aunque siguió practicando su ciencia y sus conocimientos, lamentó toda su vida no haber transmitido a su hijo la prudencia necesaria para sobrevivir.

El vuelo de Ícaro

Creta e Icaria

Los acontecimientos que se narran se desarrollan entre la isla de Creta, al este del Mediterráneo, y la isla de Icaria, situada al sur del mar Egeo. Si diéramos por cierta la leyenda de Dédalo y de Ícaro, eso significaría que padre e hijo habrían hecho un vuelo de unos 300 kilómetros sobre el agua, sobre algunas islas del archipiélago al sur de Grecia.

Un vuelo inspirado en Ícaro

Siguiendo quizá la leyenda de Ícaro, el sabio árabe Abbás Ibn Firnás, que vivió durante el siglo IX en Andalucía, fue el primer hombre que voló gracias a unas alas de seda recubiertas por plumas de aves rapaces. Aunque se fracturó en el aterrizaje las dos piernas, dicen que se mantuvo en el aire varios minutos, y su planeo fue observado por cientos de personas.

En Córdoba, la ciudad donde se realizó este vuelo, hay un puente sobre el río Guadalquivir que lleva su nombre. Faltaban 500 años para que Leonardo da Vinci hiciera sus bocetos de máquinas voladoras, y 900 años hasta que se consiguiera volar en un globo aerostático.

La simbología de Ícaro

Los personajes y las aventuras de cuentos y leyendas siempre encierran una simbología. Ícaro representa el deseo de saber y de aprender, la curiosidad innata de la juventud y el placer de la aventura, pero también cómo la ambición, la imprudencia y el exceso de confianza conducen al fracaso en un propósito.
En contraste, Dédalo simboliza el ingenio, la constancia y la prudencia.

Los otros «Ícaro»

Muchos objetos astronómicos llevan nombres mitológicos griegos o romanos. En la cara oculta de la Luna hay dos cráteres llamados Dédalo e Ícaro, a poca distancia entre sí. También se llama Ícaro un asteroide que cruza la órbita de la Tierra; en su recorrido, en ocasiones está más cerca del Sol que Mercurio, para distanciarse después más lejos que Marte. En algún momento podría ser peligroso para la Tierra, por lo que hay estudios que proyectan cómo destruirlo en caso de necesidad, lo que ha inspirado alguna película de ciencia ficción.

Ícaro en el arte

Como otros personajes mitológicos, Ícaro y Dédalo aparecen en pinturas, medallones, grabados, monedas y esculturas de todos los tiempos. Llama la atención, sobre todo, la dramática escena en la que Ícaro se precipita hacia el mar. El nombre de Ícaro es muy sonoro y poético, y se utiliza en muchos lugares como marcas comerciales o educativas.

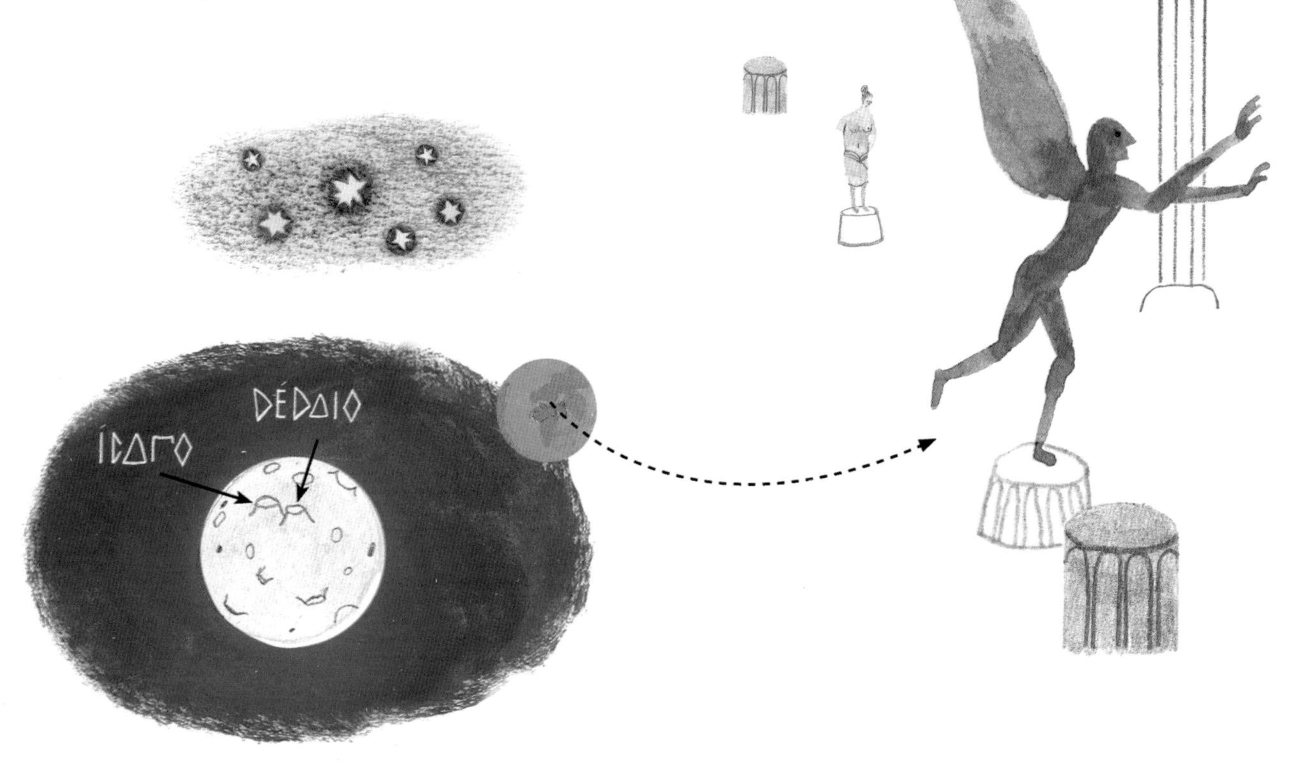